Tus huesos

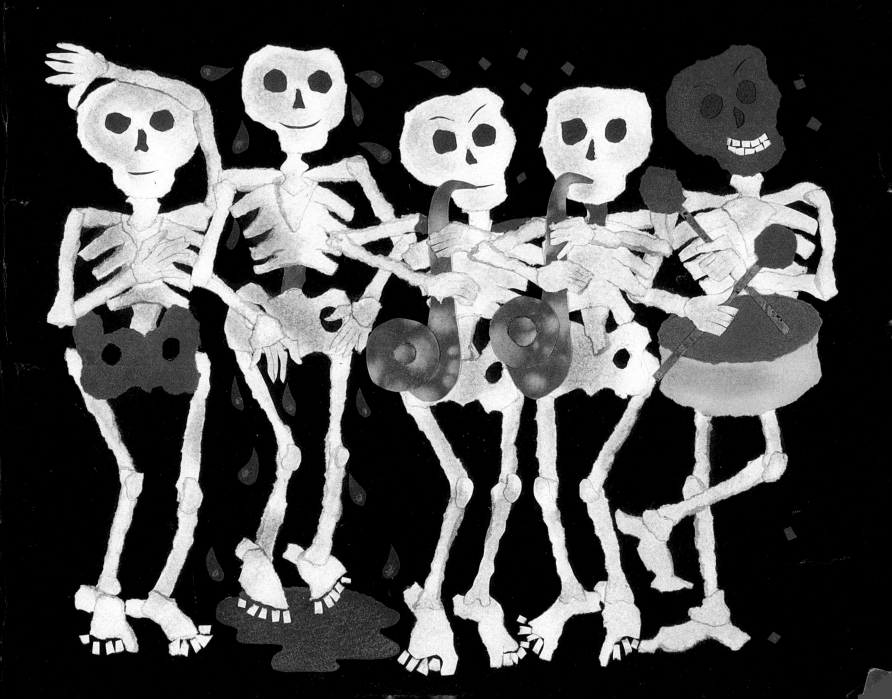

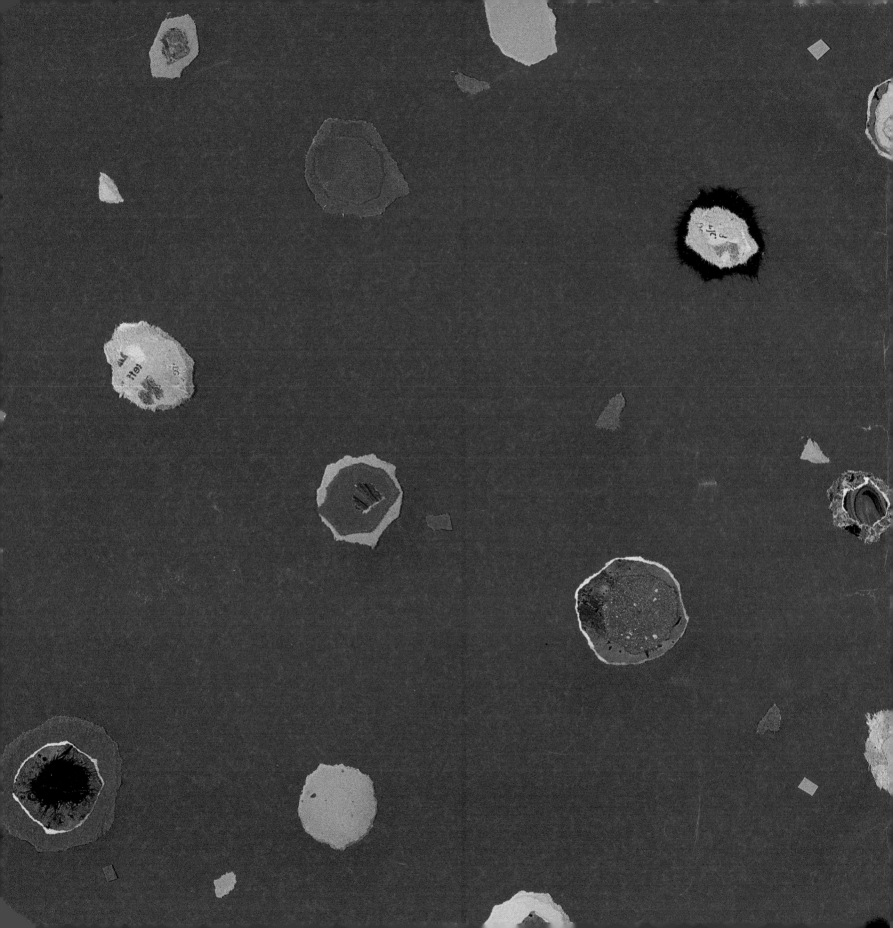

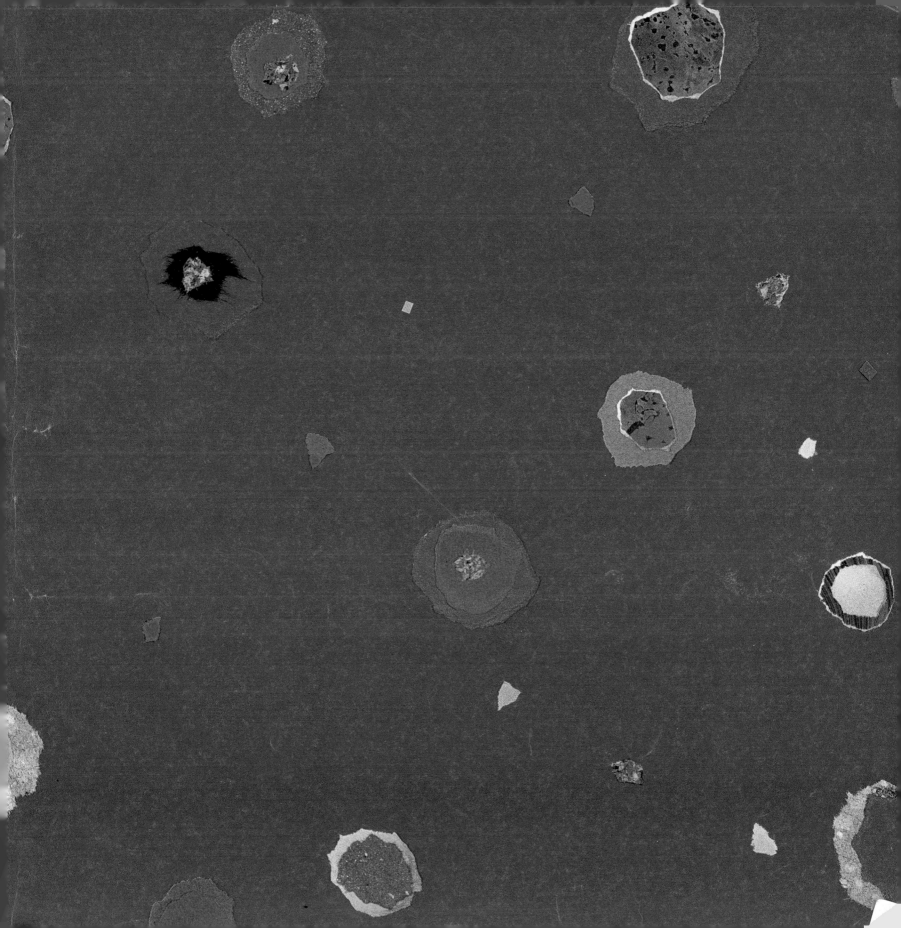

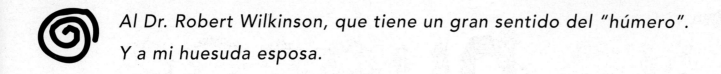

Al Dr. Robert Wilkinson, que tiene un gran sentido del "húmero".
Y a mi huesuda esposa.

Dem Bones es uno de los spirituals afroamericanos más conocidos y apreciados. Es una canción sobre la resurrección, y seguramente fue cantada por primera vez hace unos doscientos años en iglesias y servicios religiosos. Como sucede con la mayoría de los spirituals, la influencia de la música africana es evidente en la estructura repetitiva de la canción y en el humor. Hoy en día, la canción suele ser cantada por niñas y niños como una manera de aprender sobre anatomía y ritmo y para desarrollar vocabulario.

Originally published in English as *Dem Bones*.

Translated by Eida de la Vega

No part of this publication may be reproduced, stored in a retrieval system, or transmitted in any form or by any means, electronic, mechanical, photocopying, recording, or otherwise, without written permission of the publisher. For information regarding permission, write to Chronicle Books LLC, 680 Second Street, San Fancisco, CA 94107.

ISBN 978-0-545-74133-0

Illustrations and informational bone text © 1996 by Bob Barner.
Translation copyright © 2014 by Scholastic Inc.
Published by arrangement with Chronicle Books LLC.

12 11 10 9 8 7 6 5 4 3 2 1   14 15 16 17 18 19/0

Printed in the U.S.A.   08
First Scholastic Spanish printing, September 2014

Designed by Cathleen O'Brien.
Original text type designed by Lilly Lee.
The illustrations in this book were rendered in paper collage, created with papers from all over the world.

Tus huesos

Bob Barner

SCHOLASTIC INC.

El hueso del dedo

EL HUESO DEL PIE

Los huesos del pie son la base de tu esqueleto. Estos veintidós huesos soportan el peso de todo tu cuerpo. El arco del pie ayuda a amortiguar el impacto al caminar, correr o saltar.

unido al del pie.

EL HUESO DEL TOBILLO

Sin los huesos del tobillo
no podrías levantar el
pie para caminar. Como
el hueso del tobillo
rota, le permite al pie
flexionarse al subir
escaleras, correr
o bailar.

El hueso
del pie unido
al del tobillo.

El hueso del tobillo unido al de la pierna.

EL HUESO DE LA PIERNA

El hueso de la pierna es en realidad dos
huesos: la tibia y el peroné. El peroné,
el más pequeño de los dos, está
localizado del lado del dedo
meñique del pie. Puedes tocar
la tibia en la parte delantera
de la pierna. ¡Es el hueso
que duele mucho
cuando te dan una
patada en la
espinilla!

El hueso

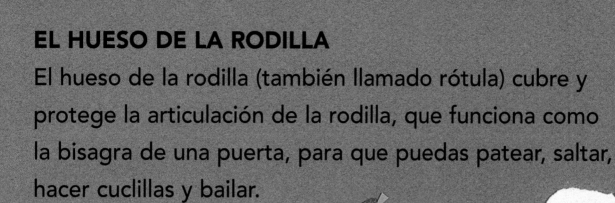

EL HUESO DE LA RODILLA

El hueso de la rodilla (también llamado rótula) cubre y protege la articulación de la rodilla, que funciona como la bisagra de una puerta, para que puedas patear, saltar, hacer cuclillas y bailar.

de la pierna

unido al
de la rodilla.

EL HUESO DEL MUSLO

El hueso del muslo, o fémur, es el hueso más largo y más pesado del cuerpo. La parte superior del fémur tiene una articulación esférica que se mueve dentro de una cavidad que hay en la pelvis.

El hueso de la rodilla

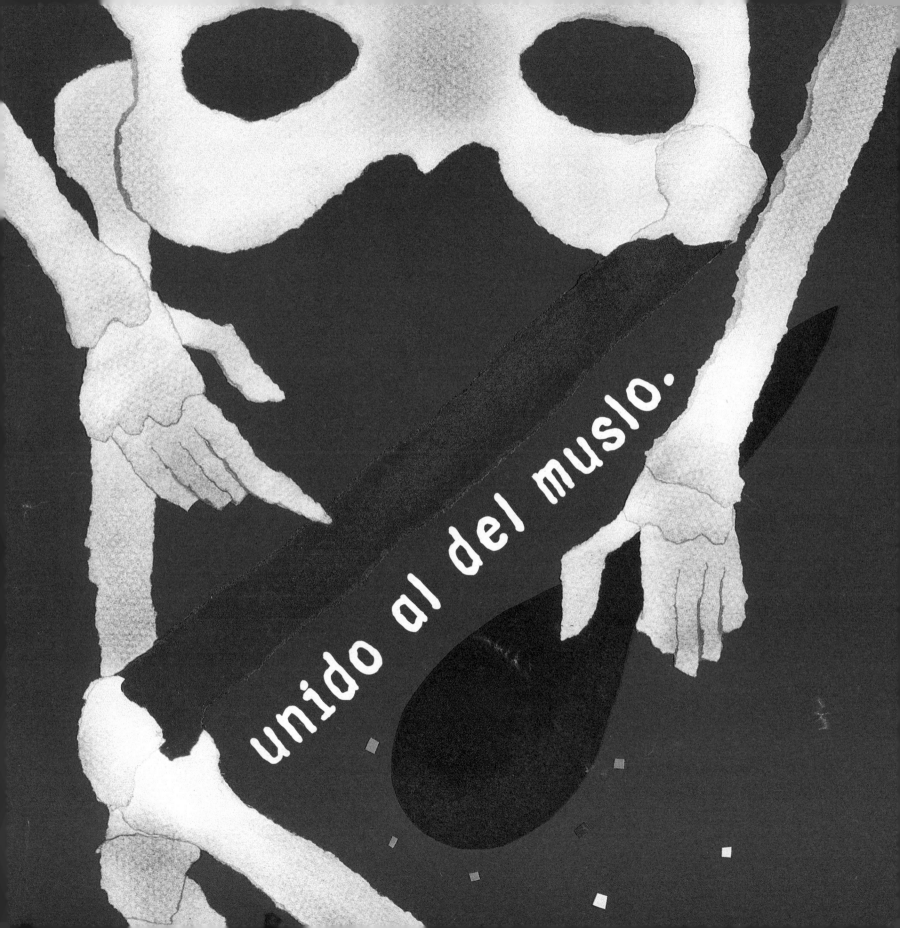

unido al del muslo.

EL HUESO DE LA CADERA

El hueso de la cadera, o pelvis, está formado por seis huesos. Unas cavidades en la pelvis contienen la parte superior de los huesos del muslo. La mayor diferencia entre los esqueletos femenino y masculino está en los huesos de la cadera. La cadera de las mujeres es más ancha y ligera.

El hueso
del muslo unido
al de la cadera.

El hueso de la cadera unido al

EL HUESO DE LA ESPALDA

No podrías ponerte de pie sin el hueso de la espalda. El hueso de la espalda, o columna vertebral, está formado por veinticuatro vértebras. Los últimos cuatro huesos de la espalda forman el cóccix, ¡que es lo que nos queda de la cola! La función más importante de la columna vertebral es proteger la médula espinal.

de la espalda.

EL HUESO DEL HOMBRO

En realidad está formado por tres huesos: la clavícula, el omóplato y el húmero. Este último es el hueso que más se les rompe a los niños. El húmero gira en una articulación esférica que te permite mover los brazos.

El hueso de la espalda

unido al

del hombro.

EL HUESO DEL CUELLO

El hueso del cuello es la continuación de la columna
vertebral o espinazo. Está formado por siete
vértebras llamadas vértebras cervicales.
Estos siete huesos del cuello rotan para
que puedas decir sí o no con la
cabeza, girarla de un lado a
otro y moverla al compás
de la música.

El hueso del hombro unido al del cuello.

EL HUESO DE LA CABEZA

El hueso de la cabeza, o cráneo, es como una caja que crece. El cráneo, que está formado por veintinueve huesos, tiene, al nacer, 50% del tamaño del de un adulto, y continúa creciendo rápidamente durante el primer año de vida. Y sobre todo, ¡el cráneo te protege el cerebro cuando te paras de cabeza!

El hueso del cuello unido

al de la cabeza.

Huesos, huesos, huesos secos.
Huesos, huesos, huesos secos.

Huesos, huesos, huesos secos, oigan la palabra del Señor.

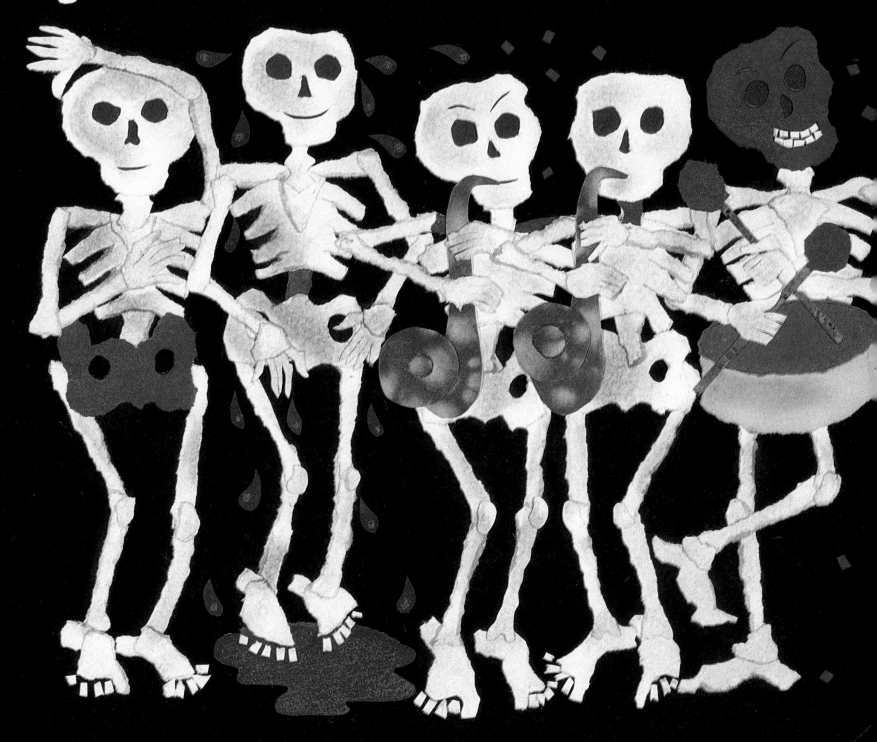

Algunos de los huesos secos

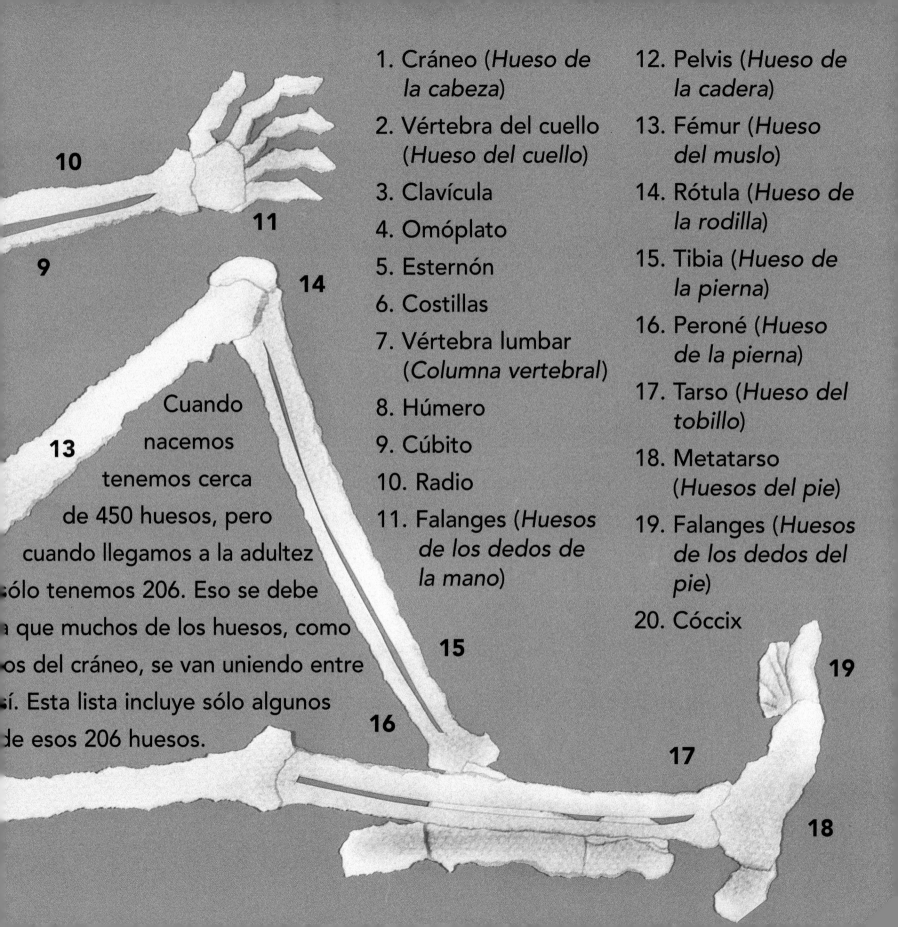

1. Cráneo (*Hueso de la cabeza*)
2. Vértebra del cuello (*Hueso del cuello*)
3. Clavícula
4. Omóplato
5. Esternón
6. Costillas
7. Vértebra lumbar (*Columna vertebral*)
8. Húmero
9. Cúbito
10. Radio
11. Falanges (*Huesos de los dedos de la mano*)
12. Pelvis (*Hueso de la cadera*)
13. Fémur (*Hueso del muslo*)
14. Rótula (*Hueso de la rodilla*)
15. Tibia (*Hueso de la pierna*)
16. Peroné (*Hueso de la pierna*)
17. Tarso (*Hueso del tobillo*)
18. Metatarso (*Huesos del pie*)
19. Falanges (*Huesos de los dedos del pie*)
20. Cóccix

Cuando nacemos tenemos cerca de 450 huesos, pero cuando llegamos a la adultez sólo tenemos 206. Eso se debe a que muchos de los huesos, como los del cráneo, se van uniendo entre sí. Esta lista incluye sólo algunos de esos 206 huesos.

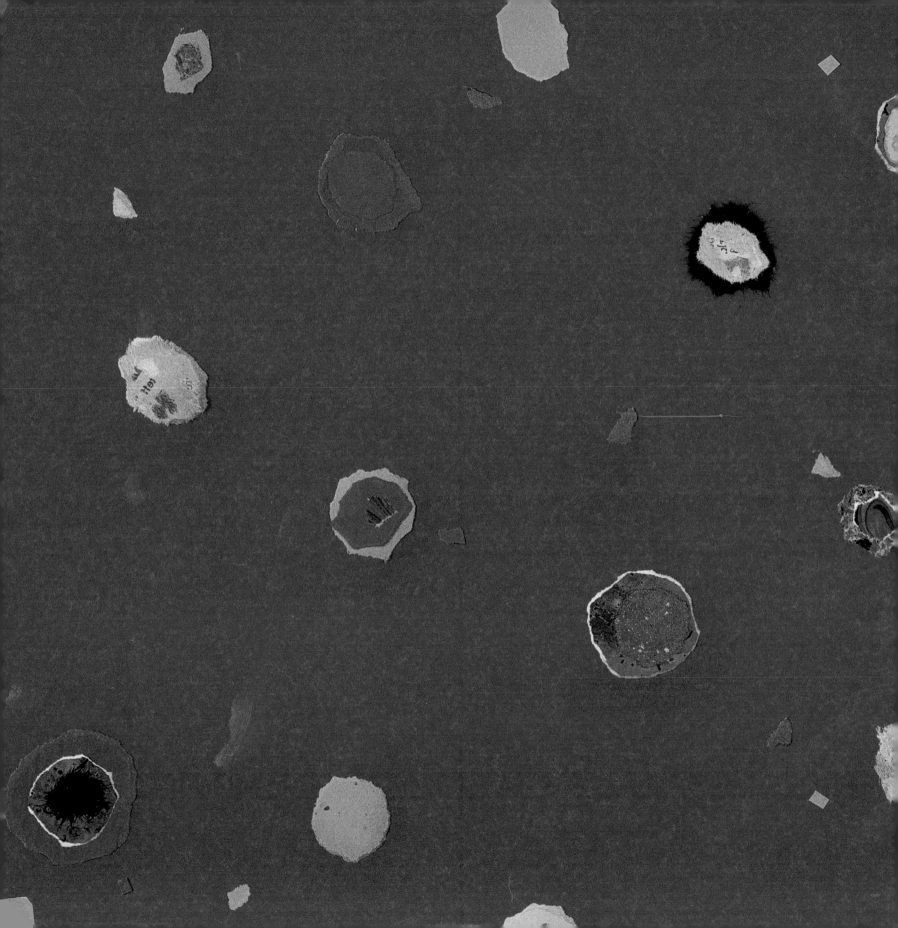

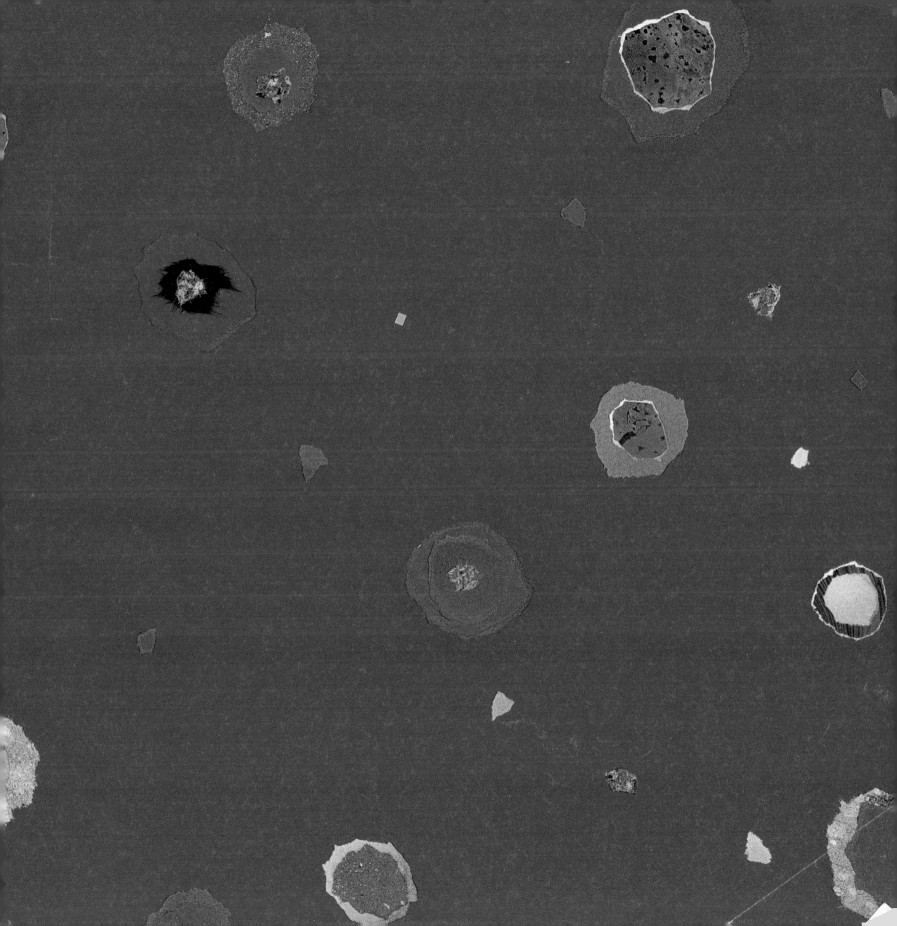